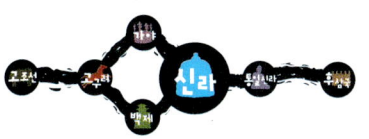

사다함

소년 영웅이 되다

원작 김부식 글 구들 그림 염조원 감수 최광식

토함산 깊은 골짜기에 한 무리의 소년들이
줄을 맞춰 씩씩하게 걷고 있었어요.
다부진 몸에 눈이 빛나는 소년들이었지요.
신라에서는 열두 살부터 열여덟 살까지의 소년 중에서
건강하고 총명한 소년들을 뽑아 '화랑도'라는 수련 단체를 만들었어요.
화랑도에 들어간 소년들은 뛰어난 스승에게 학문과 무예를 익혔지요.
화랑도 안에서도 특히 뛰어난 소년은 '화랑'으로 삼았어요.
그리고 화랑을 따르는 소년들을 '낭도'라고 불렀지요.
화랑은 자상한 형처럼 낭도들을 보살폈고,
낭도들도 착한 아우처럼 화랑을 따랐지요.
토함산 골짜기에 들어온 소년들은 바로
화랑 사다함을 따르는 낭도들이었어요.
사다함은 신라의 높은 귀족 가문 출신으로,
겸손하고 성실해서 사다함을 따르는 낭도는 1천 명이 넘었어요.

화랑은 한자리에 앉아 공부만 하거나 무예만 익히지는 않았어요.
신라 곳곳의 아름다운 산과 강을 찾아다니며 마음을 바르게 닦았지요.
여행을 하는 것은 책을 읽거나 무예를 익히는 것 못지않게 중요했어요.
여행을 다니면서 신라의 지형을 익힐 뿐 아니라 여행 중에 생기는
어려운 문제들을 함께 해결하면서 우애를 돈독히 했어요.
험한 산길을 걸어온 터라 낭도들은 몹시 힘들어 했어요.
그 모습을 본 사다함이 차분하게 말했어요.
"낭도들이여, 우리는 이제 여행을 시작했습니다.
우리가 가야 할 길이 아직 남아 있으니 조금만 더 힘을 내도록 합시다!
주위에 힘들어 하는 낭도가 있으면 서로 도와주도록 하시오."
"그럽시다!"
낭도들이 밝은 목소리로 대답했어요.
사다함은 나이가 어린 낭도들을 행렬의 맨 앞에 세웠지요.
"사다함님! 저희는 아직 어린데 왜 행렬의 앞에 서나요?
뒤에 계신 형님들께 죄송합니다."
어린 낭도가 물었어요.
"약한 사람이 앞에 서서 걸으면 뒤에 있는 사람들에 대한
책임감이 생겨 더 잘 걸을 수 있단다. 그리고 뒤에 있는 사람들은
앞서 가는 사람들을 도우며 참을성을 배우게 되지."
낭도들은 사다함의 지혜와 배려심에 다시 한 번 감탄했지요.

사다함은 많은 화랑도 중에서도 으뜸 화랑도로 손꼽혔어요.
사다함은 모든 일에 모범을 보이며 낭도 한 사람 한 사람을 소중히 아꼈고,
낭도들도 사다함을 본받아 열심히 학문과 무예를 익혔어요.
또 낭도끼리도 사이가 좋아 긴 여행 중에도 싸우는 일이 없었지요.
사다함과 낭도들은 낮에는 행진을 하고 밤에는 신라를 강한 나라로
만들 수 있는 방법에 대해 이야기를 나누었어요.
사다함과 낭도들은 가끔 활쏘기나 칼싸움 등으로 자신들의 실력을 겨루기도 했지요.
하지만 이긴 사람은 이겼다고 자만하지 않았고,
진 사람도 부끄러워하거나 불평하지 않았어요.

그런데 산으로 여행을 떠난 어느 날,
사다함은 그만 숲 속에서 길을 잃고 말았어요. 사다함은 낭도들에게 몹시 미안했어요.
"내가 어리석어 길을 잘못 안내하는 바람에 모두가 고생을 하게 되었소. 미안하오."
사다함이 진심으로 사과하자, 낭도들은 고개를 저었어요.
"그렇지 않아요. 이곳은 우리 모두가 처음 와 본 곳이잖아요.
서로 머리를 모으면 길을 찾을 수 있을 테니 너무 미안해하지 마십시오."
하지만 여전히 사다함의 얼굴이 어두운 것을 보고 한 낭도가 말했어요.
유난히 사다함을 믿고 따르는 '무관'이라는 낭도였지요.
"사다함님! 이미 날이 저물었으니 일단 오늘은 여기서 자고
내일 아침 날이 밝으면 다시 길을 찾아보지요."
다들 무관의 말에 찬성했어요.
"고맙다, 무관! 날씨가 추우니 먼저 불을 피워야겠어.
그대들은 여기서 천막을 치시오. 내가 가서 땔감을 구해 오겠소."
사다함의 뒤를 무관이 따라 나섰어요.
"저도 같이 가겠습니다. 저는 시골에서 살았기 때문에 숲에 대해 잘 아니 도움이 될 거예요."
사다함과 무관은 사이좋게 땔감을 구하러 갔지요.

사다함의 부모님은 불교를 믿었어요.

그래서 언제나 사다함에게 이렇게 주의를 주었지요.

"너는 화랑이니 전쟁을 피할 수 없을 것이다.

하지만 평소에는 절대 다른 사람과 싸우지 말고

너보다 약한 사람이나 동물을 괴롭히지 않도록 해라.

살아 있는 모든 것들을 사랑하여라. 그것이 부처님의 뜻이다."

그래서 사다함은 땔감을 구할 때도 살아 있는 나무는 건드리지 않고

죽은 나무나 바닥에 떨어진 나뭇가지들만 주웠어요.

그러자니 시간이 많이 걸렸는데도 무관은 불평 한마디 하지 않았지요.

바로 그때였어요.

무관의 등 뒤에서 이상한 소리가 들렸어요.

가만히 뒤를 돌아본 무관은 깜짝 놀라 움직일 수가 없었어요.

어둠 속에서 곰이 눈동자를 날카롭게 번뜩이고 있었지요.

곰은 무관을 노려보더니 두 발로 우뚝 섰어요.

무관은 소리를 질렀어요.

"사다함님, 곰이에요! 곰이 나타났어요!"

무관과 떨어져서 나뭇가지를 줍던 사다함은 얼른 몸을 돌렸어요.
"무관, 기다려! 내가 도우러 갈게!"
사다함이 외치는 소리가 들리자 무관은 정신을 차리고 생각했어요.
'사다함님은 화랑이야. 사다함님이 다치거나 죽으면 우리 낭도는 지도자를 잃는 거야. 그런데 바보같이 사다함님을 부르다니!'

무관은 또 소리를 질렀어요.
"사다함님, 이제 괜찮으니 오지 않아도 됩니다. 곰이 달아났습니다!"
하지만 사다함은 영리한 소년이었어요.
사다함은 무관의 목소리에 두려움이 묻어 있다는 것을 알아차렸지요.
"거짓말하지 마. 어떻게든 시간을 벌어 봐. 내가 가서 구해 줄게."
무관은 곰을 노려보았어요. 무관을 공격하려던 곰이 주춤하며 서는 순간,
어둠을 뚫고 화살이 날아오더니 곰의 가슴에 그대로 꽂혔어요.

우어어어.

곰은 울부짖으며 쓰러졌어요.
사다함과 무관은 안도의 한숨을 내쉬었어요.
이후, 사다함과 무관은 둘도 없는 친구가 되었지요.

이 일이 알려지자 낭도들은 사다함을 더욱 따르게 되었어요.
"목숨을 걸고 무관을 구하다니! 사다함님이 정말 존경스러워."
"무관은 또 어떻고! 사다함님을 살리려고 일부러 곰이 달아났다고 거짓말까지 했잖아."
"사다함님과 무관은 우리의 자랑이야."
이렇게 용맹하고 지혜로운 사다함을 지도자로 둔 낭도들은
아무리 힘든 길을 가도 즐겁기만 했어요.
며칠 뒤, 사다함과 낭도들은 남쪽 바닷가에 도착했어요.
그곳에는 왜구*가 노략질을 일삼아 폐허가 된 마을이 있었지요.
사다함은 분노에 찬 목소리로 외쳤어요.
"신라의 백성들이 왜 이런 비참한 일을 당했겠소?
바로 힘이 없기 때문이오!
그러니 우리가 신라를 강한 나라로 만들어야 하오!"
"신라를 위해 목숨을 바치자!"
사다함과 낭도들이 외치는 우렁찬 함성이
거친 파도 소리를 누르고 바닷가에 쩌렁쩌렁 울려 퍼졌지요.

*왜구 : 옛날 일본의 해적

그때 신라를 다스리던 진흥왕은
남쪽의 대가야를 정복하기 위해 전쟁 계획을 세우고 있었어요.
이 소식을 들은 사다함은 당장 낭도들을 불러 모았지요.
"낭도들이여, 그대들은 신라를 위해 목숨을 바치기로 맹세한 것을
잊지 않았을 것이오. 이제 그 맹세를 지킬 때가 왔소.
대가야 정복에 우리가 앞장섭시다."
"좋습니다!"
낭도들은 사다함의 말에 큰 소리로 대답했어요.
다음 날, 사다함은 진흥왕을 찾아갔어요.
"폐하! 이번 전쟁에 저와 낭도들이
나가게 해 주십시오."
진흥왕은 흐뭇하게 웃으며 말했어요.
"정말 기특한 생각을 했구나.
하지만 너희는 아직 어리니 다음에 참가하도록 해라."
사다함은 물러서지 않았지요.
"나라를 사랑하는 데
남자와 여자, 어른과 아이의 구분이 없는 줄로 아옵니다.
부디 저희에게도 기회를 주십시오."
사다함의 씩씩한 태도에 진흥왕은 몹시 감동했어요.
결국 진흥왕은 사다함과 낭도들이 전쟁에 나가는 것을 허락했어요.

둥둥둥.

힘찬 북소리와 함께 신라군이 대가야를 공격했어요.

대가야의 군사들은 전단성* 성문을 꼭 걸어 잠그고 싸웠어요.

"신라의 군사들이여! 성을 함락시켜라!"

"대가야의 군사들이여! 목숨을 바쳐 성을 지켜라!"

신라군도 대가야군도 한 치의 양보 없이 치열하게 싸웠어요.

전단성은 튼튼해서 도무지 안으로 들어갈 수 없었지요.

게다가 대가야군이 불화살을 쏘아 대며 격렬하게 저항하자

신라군은 주춤주춤 물러나기 시작했어요.

사다함은 분해서 이를 갈며 낭도들에게 외쳤어요.

"신라군이 후퇴해도 우리는 후퇴하지 않을 것이오!

우리는 화랑이오. 화랑은 신라의 영광을 위해 목숨을 바쳐야 하오."

"와! 대가야를 정복하자!"

사다함은 용감하게 말을 몰아 전단성으로 달려갔어요.

그 뒤를 무관이 따르자 어린 낭도들도 함성을 지르며 전단성 앞으로 몰려갔지요.

대가야군은 물론 신라군조차도 어린 소년들이 겁 없이 적의 진영*으로

달려가는 것을 보고 깜짝 놀랐어요.

*전단성 : 대가야의 중심지로 오늘날 경상남도 고령
*진영 : 군대가 머무르고 있는 곳

"성문을 부수자!"

"성벽을 타고 오르자!"

낭도들은 목숨을 걸고, 성벽을 기어오르고 성문을 부수었어요.

대가야군도 이에 맞서 돌과 화살을 퍼부었지요.

낭도들은 화살이나 돌에 맞아 피투성이가 되어서도 공격을 멈추지 않았어요.

앞에 있던 낭도가 쓰러지면 뒤에 있던 낭도가 공격을 하고,

그 낭도가 쓰러지면 다른 낭도가 또 공격했답니다.

사다함은 무관을 데리고 성벽 아래로 갔어요.

대가야군은 성 앞쪽에서 낭도들과 싸우느라 정신이 없었지요.

사다함은 대가야군이 미처 감시를 제대로 하지 못하는 틈을 타

성 한쪽 구석에 갈고리를 맨 밧줄을 던졌어요.

밧줄을 타고 올라간 사다함은 마주친 대가야 군사의 목을 단검으로 찔렀어요.

그때 대가야 군사 하나가 칼을 들고 사다함을 향해 달려갔어요.

이를 본 무관이 재빨리 화살을 쏘았지요.

"고맙다, 무관!"

"지난번에는 사다함님이 저를 살려 주셨잖아요."

두 소년은 죽을 힘을 다해 대가야군과 맞서 싸웠어요.

"사다함과 무관이 성으로 들어갔다."

"우리도 들어가자!"

낭도들은 밧줄을 타고 성벽을 오르기 시작했어요.

대가야군이 화살을 쏠 때마다 어린 낭도들이 꽃잎처럼 성벽에서 떨어졌지요.

그 모습을 본 신라군도 떨쳐 일어났어요.

"대체 우리는 왜 이러고 있는가? 우리 동생, 우리 조카,
우리 아들만 한 소년들은 저리 용감하거늘!"

신라군은 함성을 지르며 전단성으로 다시 뛰어 들어갔어요.

사다함과 무관은 다른 낭도들과 힘을 합쳐 성문을 열었어요.

"와아! 성문이 열렸다!"

"한 명도 남기지 말고 다 무찌르자!"

신라군은 밀물처럼 전단성 안으로 밀고 들어갔답니다.

그때, 무관이 달아나던 대가야 군사를 막아섰어요.

챙, 챙!
불꽃 튀는 칼싸움이 벌어지는 순간 다른 대가야 군사가 나타나 등 뒤에서 무관을 찔렀답니다. 무관은 피를 흘리며 쓰러졌어요.
"무관!"
사다함이 달려와 무관을 안아 일으켰지요.

무관은 그 와중에도 희미하게 웃으며 말했어요.
"사다함님! 저 안 찔렸어요. 사다함님을 놀라게 하려고 장난치는 거예요.
그러니까 얼른 가서 적을 무찌르세요."
사다함은 무관의 뺨에 얼굴을 비비며 외쳤어요.
"또 거짓말을 하는구나!"
사다함은 옷을 찢어 무관의 등을 칭칭 감싸 흐르는 피를 막았어요.
그동안에도 신라군과 대가야군은 치열하게 싸웠어요.
하지만 대가야군은 점점 힘을 잃었고 달아나는 군사가 많아졌어요.
해가 질 때쯤, 신라군은 전단성을 완전히 함락*하고
대가야 왕에게 항복을 받아 냈어요.
"대가야를 정복했다!"
"폐하 만세! 화랑도 만세!"
신라군과 화랑도는 얼싸안고 승리의 기쁨을 나누었어요.
그러나 바로 그 시각,
사다함은 정신을 잃어 가는 무관을 끌어안고 눈물을 흘렸어요.
"무관, 정신 차려! 제발!"
무관은 간신히 죽음을 면했지만 그 후 다시
활을 쏘지도 칼을 쓸 수도 없게 되고 말았어요.
뿐만 아니라 그때 입은 상처로 병을 앓게 되었지요.

*함락 : 성이나 중요한 장소를 공격하여 빼앗음

사다함과 낭도들이 대가야 정복 전쟁에서 큰 공을 세우자 진흥왕은 몹시 기뻐했어요.

진흥왕은 사다함과 낭도들을 대궐로 불러 진수성찬을 대접하며 말했어요.

"대가야 정복 전쟁에서 네가 세운 공은 참으로 대단하다.

이번 전쟁에서 잡은 가야인 노예 3백 명을 상으로 주겠다."

순간 사다함의 얼굴이 흐려졌어요.

사다함은 사람을 노예로 부리는 것을 매우 싫어했거든요.

하지만 곧 표정을 바꾸고 머리를 조아렸어요.

"폐하, 고맙습니다."

잔치가 끝나자 사다함은 줄줄이 줄에 묶인 가야 노예 3백 명을 데리고 대궐을 나왔어요.

인적이 뜸한 산길에 이르자 사다함은 노예들을 묶은 줄을 하나하나 풀어 주며 말했어요.

"하늘 아래 모든 사람이 평등한 법입니다. 그런데 어찌 제가 여러분을 노예로 삼을 수 있겠습니까? 어서 여러분의 고향으로 돌아가십시오."

가야 노예들은 고마움의 눈물을 흘리며 사다함에게 절을 했어요.

이 소식을 들은 진흥왕은 또다시 사다함을 불러 말했어요.

"너의 재능, 너의 용기, 너의 너그럽고 따뜻한 마음이 모두 마음에 든다. 너에게 벼슬을 내리겠다."

그러자 사다함은 굳은 표정으로 말했어요.

"제 친구 무관이 병을 앓고 있습니다. 무관을 돌보게 해 주십시오. 나라에 충성하는 것도 중요하지만 우정과 의리를 지키는 것도 중요한 일입니다."

진흥왕은 사다함의 됨됨이에 더욱 감동했지요.

사다함의 마음을 아는지 모르는지 시름시름 앓던 무관은 며칠 뒤 그만 죽고 말았어요.

하루도 무관 옆을 떠나지 않고 돌보던 사다함은 목 놓아 울었어요.

"무관! 너와 나는 목숨을 걸고 함께한 친구야. 비록 부모님은 다르지만

우리는 한 형제와 같아. 네가 없으니 내가 살아야 할 이유를 찾지 못하겠구나."

그날부터 사다함은 밥 한 숟가락, 물 한 모금 입에 대지 않았어요.

그리고 일주일 후 무관을 따라 숨을 거두고 말았어요.

용맹하고 정의로운 사다함은 나라와 친구를 지극히 사랑한 의리 있고 올바른 화랑이었지요.

충성과 의리의 화랑

사다함

> 사다함은 나라에 충성하고 친구 간의 의리를 지킨 영웅이에요

한반도에서 고구려, 백제, 신라가 경쟁하던 시기를 '삼국 시대'라고 부릅니다. 이 세 나라 중 고구려가 가장 먼저 나라의 형태를 갖추었고, 백제와 신라가 그 뒤를 이었습니다. 나라의 틀이 늦게 잡히다 보니 신라는 다른 나라의 침입을 많이 받았지요. 고구려처럼 막강한 군사력을 갖춘 것도 아니고, 백제처럼 식량이 풍부한 것도 아니었던 신라는 오로지 인재를 기르는 것만이 나라를 강하게 하는 방법이라고 생각했답니다. 그래서 576년 진흥왕 때에 '화랑도'를 만들었지요.

신라에서는 건강하고 품행이 곧은 귀족 남자들을 뽑아 '화랑'이라 하고, 화랑을 받들 '낭도'라는 소년들을 뽑아 특별히 교육시켰습니다. 화랑도는 전쟁을 대비해 몸과 정신을 단련했고 실제로 전쟁에서 큰 공을 세웠답니다.

신라 내물왕의 7대 손인 사다함은 진흥왕 때의 화랑으로, 너그럽고 용맹해서 많은 낭도들이 따랐다고 합니다. 특히 사다함과 낭도들은 이사부가 대가야를 정복했을 때 큰 역할을 했지요. 사다함은 상으로 밭과 노예 3백 명을 받았지만 밭은 군사들에게 모두 나누어 주고, 노예들은 풀어 주었어요. 사다함은 이렇게 욕심이 없고 마음이 따뜻했답니다.

사다함은 죽음을 함께 하기로 약속한 무관이 죽자 슬퍼하며 일주일을 먹지 않고 뜬눈으로 밤을 새우다가 결국 죽음을 맞았습니다. 나라를 위해서는 용감했고, 친구에게는 의리를 지켰던 사다함이야말로 화랑 정신을 대표하는 인물이라 할 수 있습니다.

 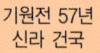
기원전 57년
신라 건국

512년
우산국 정복

529년
법흥왕
불교 공인

532년
금관가야 정복

540년
진흥왕
신라 제24대 왕 즉위

562년
이사부
대가야 정벌

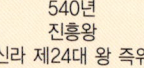
566년
황룡사 완성

사다함과 관련 있는 인물들

무관

화랑 사다함과 절친한 사이였던 무관은
죽음으로 우정을 맹세했습니다.
562년 대가야 정벌에서 입은 부상 때문에 결국 죽음을 맞았습니다.

진흥왕 : 신라 제24대 왕

법흥왕의 조카로, 왕위에 있었던 기간은 540~576년입니다.
안으로는 왕가의 전통을 확고하게 다지고 밖으로는 정복 사업을 벌여
신라 역사상 가장 넓은 영토를 차지했습니다.
나이가 들어서는 스님이 될 정도로 불교를 열심히 믿었으며,
576년에는 화랑 제도를 체계적으로 정비하는 큰 업적을 세웠습니다.

알고 싶은 요모조모

화랑도와 태권도

태권도는 우리나라에서 발전한 고유 무예로, 그 뿌리는 삼국 시대까지 올라갑니다. 고구려 고분 가운데 하나인 무용총에도 태권도의 겨루기 자세가 그려져 있지요. 특히 화랑들이 신체를 단련할 때 '수박술'이라는 무술을 사용했는데, 《제왕운기》라는 책에는 이 신라의 무술을 '탁견술'이라고 적어 놓았어요. 이렇게 화랑들이 즐겨 하던 '탁견'이 태권도의 옛날 이름인 '태껸'이라고 추정하고 있답니다.

576년	595년	660년	668년	676년	751년	888년	935년
진흥왕 화랑 제도 시작	김유신 탄생	백제 정복	고구려 정복	삼국 통일 통일 신라 시대 시작	불국사 창건	향가집 《삼대목》 편찬	신라 멸망

궁금증을 풀어 주는 # 미로여행

Q1 '사다함'이라는 이름은 무슨 뜻일까요?

Q2 신라 시대에도 노예가 있었을까요?

Q3 여자는 화랑이 될 수 없었나요?

Q4 화랑도는 무슨 뜻일까요?

우리나라에서는 노예를 **노비**라고 불렀어요. 언제부터 노비 제도가 있었는지 정확히 알 수는 없지만, 고조선 시대부터 있었을 것이라고 해요. 기록에는 고조선 시대에 죄를 짓거나 빚을 못 갚으면 노비가 되었다고 전해지지요.

화랑(花郞)의 한자를 풀이하면 **꽃같이 아름다운 소년들**이라는 뜻이지요. 하지만 얼굴만 잘생겼다고 화랑도가 될 수 있는 것은 아니었어요. 건강한 것은 물론이고 총명하며 의리 있고 용감해야 화랑도가 되었답니다.

여자는 화랑이 될 수 없었어요. 화랑도가 생기기 이전에는 '원화'라고 불리는 지혜롭고 총명한 소녀들이 소년들을 이끌던 **원화 제도**가 있었지만, 신라를 강한 나라로 만들고 싶었던 진흥왕은 전쟁터에서 싸울 수 있는 용맹한 장군이 더 필요했어요. 그래서 원화 제도를 없애고 화랑도를 만든 것이지요.

'사다함'은 원래 불교에서 열심히 **공부**한 사람을 일컫는 말이에요. 그래서 불교를 깊이 믿는 사람들은 자식에게 사다함이라고 이름을 지어 주기도 했지요. 사다함은 내물왕의 후손이므로 성이 '김'씨일 가능성이 높답니다.